Q

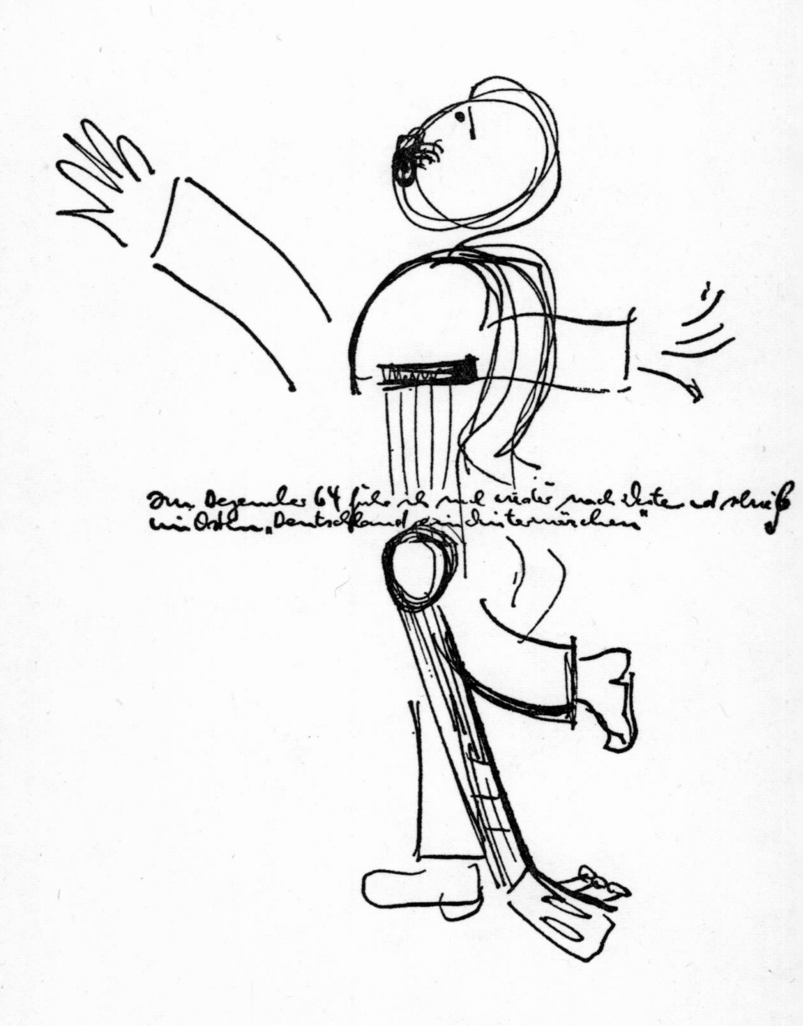
Im Dezember 64 fuhr ich mal wieder nach Westen und schrieb
„Deutschland ein Wintermärchen“

Wolf Biermann

Deutschland. Ein Wintermärchen

Verlag Klaus Wagenbach
Berlin

18.–25. Tausend 1973

Satz und Druck Poeschel & Schulz-Schomburgk, Eschwege
Printed in Germany.
ISBN 3 8031 0063 1

Kapitel I

Im deutschen Dezember floß die Spree
Von Ost- nach Westberlin
Da schwamm ich mit der Eisenbahn
Hoch über die Mauer hin

Da schwebte ich leicht übern Drahtverhau
Und über die Bluthunde hin
Das ging mir so seltsam ins Gemüt
Und bitter auch durch den Sinn

Das ging mir so bitter in das Herz
– da unten, die treuen Genossen –
So mancher, der diesen gleichen Weg
Zu Fuß ging, wurde erschossen

Manch einer warf sein junges Fleisch
In Drahtverhau und Minenfeld
Durchlöchert läuft der Eimer aus
Wenn die MP von hinten bellt

Nicht jeder ist so gut gebaut
Wie der Franzose Franz Villon
Der kam in dem bekannten Lied
Mit Rotweinflecken davon

Ich dachte auch kurz an meinen Cousin
Den frechen Heinrich Heine
Der kam von Frankreich über die Grenz
Beim alten Vater Rheine

Ich mußte auch denken, was allerhand
In gut hundert Jahren passiert ist
Daß Deutschland inzwischen glorreich geeint
Und nun schon wieder halbiert ist

Na und? Die ganze Welt hat sich
In Ost und West gespalten
Doch Deutschland hat – wie immer auch –
Die Position gehalten:

Die Position als Arsch der Welt
Sehr fett und sehr gewichtig
Die Haare in der Kerbe sind
Aus Stacheldraht, versteht sich

Daß selbst das Loch – ich mein' Berlin –
In sich gespalten ist
Da haben wir die Biologie
Beschämt durch Menschenwitz

Und wenn den großen Herrn der Welt
Der Magen drückt und kneift
Dann knallt und stinkt es ekelhaft
In Deutschland. Ihr begreift:

Ein jeder Teil der Welt hat so
Sein Teil vom deutschen Steiß
Der größre Teil ist Westdeutschland
Mit gutem Grund, ich weiß.

Die deutschen Exkremente sind
Daß es uns nicht geniert
In Westdeutschland mit deutschem Fleiß
poliert und parfümiert

Was nie ein Alchemist erreicht
– sie haben es geschafft
Aus deutscher Scheiße haben sie
Sich hartes Gold gemacht

Die DDR, mein Vaterland
Ist sauber immerhin
Die Wiederkehr der Nazizeit
Ist absolut nicht drin

So gründlich haben wir geschrubbt
Mit Stalins hartem Besen
Daß rot verschrammt der Hintern ist
Der vorher braun gewesen

Kapitel II

Ich weiß nicht, warum der Rentnerzug
So langsam nach Westberlin schlich
(Vielleicht aus Sorge, aus Rücksicht auf
Die Greise und nicht auf mich)

Die alten Leutchen saßen steif
Umstellt von Koffern und Taschen
In die sie ordentlich verstaut
Wurstbrote und Thermosflaschen

Mit knorrigen Fingern hielten sie
Noch Griffe und Henkel umklammert
Und starrten verstört in jene Welt
Nach der sie drei Jahre gejammert

Ich hatte nur meine Gitarre dabei
Mein leichtes Maschinengewehr
Und lümmelte mich aufm Fensterplatz
Und pfiff was vor mich her

Das Lied vom deutschen Vaterland
Das hörte vor vier Jahren
Der dicke Dichter Kahlau gern
Als wir noch Freunde waren

Lied

Mein Vaterland, mein Vaterland
Hat eine Hand aus Feuer
Hat eine Hand aus Schnee
Und wenn wir uns umarmen
Dann tut das Herz mir weh

Ich hab gesehn zwei Menschen stehn
Die hielten sich umfangen
Am Brandenburger Tor
Es waren zwei Königskinder
Das Lied geht durch mein Ohr

Mein Vaterland hat eine Hand
Aus Feuer – und aus Schnee
Die andre Hand – der dumme Vers
Er tat mir nicht mehr weh

Ich pfiff das Lied als wärs ein Lied
Aus längst vergangner Zeit
Das man gern hört und denkt dabei
Nicht mehr an altes Leid

Am Bahnhof ZOO stiegen Westler zu
Das war mir angenehm
Ich hatte nicht Lust, die ganze Fahrt
Nur alte Fraun zu sehn

Da kam auch schon eine Schöne an
Mit Koffern – mir wurde trüber –
Die schleppte ein rosig verfetteter Mann
Sie setzten sich mir gegenüber

Mein Vaterland, mein Vaterland

Doch als der Zug an zu rucken fing
Da stürzte er aus dem Coupé
Er hatte nur an die Bahn gebracht
Die schmale, großäugige Fee

Ich sagte ihr, eh er noch draußen war
– was soll man da lange warten –
»Sie sind mein blühender Pflaumenzweig
In diesem Wintergarten«

Ich glaub, dies Bild begriff sie nicht
Erst später errötete sie
So ging es mir oft auch anderswo
Mit besserer Poesie

Kapitel III

Und weil der Zug gen Westen fuhr
Warn wir bald wieder im Osten
Das ist die deutsche Geographie
Die Logik der Grenzen und Posten

Die erste Lektion in diesem Fach
Erteilte die Volksarmee
Von Zolljungfrauen assistiert
Am Grenzbahnhof Griebnitzsee

Die Uniformen unsrer Armee ...
Sind weder schön noch billig
(Erträglicher ist das Winterzeug
Aus russischem Wattedrillich)

Und jeden Mittwoch um halb drei
Wird mir, ich weiß nicht wie
Dann ziehn sie im Parademarsch
Mit steif gestrecktem Knie

Mit Flötenspiel und Hoch-das-Bein
Mit Pomp und Tschingdara
Zur NEUEN WACHE in Berlin
In Preußens Gloria

Unter den Linden steht der Bau
Vom großen alten Schinkeln
Ein renovierter Freiheitssarg
An den die Hunde pinkeln

Als Gipfel der Architektur
Ein großes Loch im Dache:
Ein Sinnbild des Soldatentums.
Ich sprech in eigner Sache

Denn grade hier ist installiert
– mehr Dummheit als Zynismus –
Der heilige Gedenkstein für
Die Opfer des Faschismus

Und vor der Tür wie Wachsfigurn
Stehn da zwei Wachsoldaten
Leblos, mit dem berühmten Blick
Des Schweins im Schlachterladen

Solch Anblick der Verblendung bringt
Mich jedesmal in Rage
In diesem Punkt versteh ich nie
Die »Nationale Fraasche«

Das deutsche Proletariat
Hat wahrlich bessre Tradition
Es lief ja auch nicht nackt herum
Das Thälmann-Bataillon

Den führenden Genossen selbst
Die dieser Volksarmee
Den Preußenplunder umgehängt
Tut ja der Anblick weh!

Sie faßten den Beschluß wohl nur
Aus Rücksicht auf Germanen
Auf den bornierten Kriegerstolz
Der deutschen Untertanen

Vielleicht wars falsch, vielleicht war es
Auch schlaue Politik
Vielleicht wars schädlich oder doch
Ein gut gelungner Trick

– Egal, der Plunder stinkt mich an
Ihr Jungs, seh ich euch laufen –
Wenn ich mal mehr bei Kasse bin
Werd ich euch bessre kaufen

Und später noch, wenn in der Welt
Die Kriegskunst pleite macht
Dann sammeln wir die Fahnen ein
Die Uniformen-Pracht

Aus all den Lumpen machen wir
Was Besseres uns wieder:
Holzfreies weißes Druckpapier
Für meine Lieder

Kapitel IV

Die Paßkontrolle zog sich hin
Der Zug war festgewachsen
Ich saß und saß und saß und saß
Auf Kohlen statt auf Achsen

Und meine Schöne visavis
Mit großen Kinderaugen
An ihren Lippen fing sie an
Zu beißen und zu saugen

Halb ängstlich, halb mokant sah sie
Auf unsre Grenzsoldaten
Das war Anschauungsunterricht
Thema: Zwei deutsche Staaten

Die Kleine hielt den Westpaß hin
Fast wie ein Kruzifix
Wer Jesus schwenkt und Marx nicht kennt
Dem tut der Teufel nix

Doch nützte ihr das Westpapier
Nicht viel; ihr scharfer Busen
– die Grenzer schielten schräg und frech
Und tief ihr in die Blusen

Die strammen Jungs aus Mecklenburg
Da kamen sie ins Schlottern
Sie fingerten am Koppelschloß
Und fingen an zu stottern

Das rührte mich, ich geb es zu
Es hat mich fast ergriffen:
Die haben auf die Dienstvorschrift
Ganz ungeniert gepfiffen

Ein Deutscher, der in Uniform
Auf Sex starrt, statt auf Stempel
Ist schon ein Fortschritt, sag ich euch
Ein menschliches Exempel

Bis Büchen warn es insgesamt
Acht Paß- und Zollkontrolln
Es war, als ob wir achtmal doch
Noch schnell entlarvt wer'n solln

Die alten Frauen warn aufgekratzt
– es dauerte zu lange –
Aufsässig saßen sie und schrien
Wie Hühner auf der Stange

Die alten Männer griffen acht
Mal neu in alle Taschen
Und zogen den Passierscheinfisch
Angstschweißnaß aus den Maschen

Und achtmal brüllte ein Soldat
Glashart freundlich trocken:
Wir wünschen gute Weiterfahrt!!
– die Rentner hats erschrocken

Die Rentner hat es aufgeregt
Sie konntens nicht erwarten
Es drängte sie ganz offenbar
In Gottes Super-Garten

Und endlich kroch der Rentnerzug
Heraus aus Griebnitzsee
Und schob sich in die DDR
Durch Nebel und durch Schnee

Der Zug kroch quer durch Brandenburg
Durch manchen toten Bahnsteig
Da öffneten die Blüten sich
An meinem schönen Pflaumzweig

Sie wurd gesprächig, fragte mich
Ob ich von Osten käme
Ob ich schon Rentner sei, ob ich
Auch Rückfahrkarten nähme ...

»Ich bin ein ganz besondrer Fall
Von einem deutschen Rentner
Nachts schläft er von der Arbeit aus
Am Tage aber pennt er

In dem Gitarrenkasten da
Steckt ein Maschingewehr
Damit misch ich mich manchmal ein
In euren Geldverkehr

Ich bin ein Liedermacher, ein
Verrückter Rattenfänger
Ich bin kein deutsches Lyrikschaf
Kein Stürmer auch und Dränger

Der Hund geht anders los! Ich misch
Mich in die Politik
Wenn man auf solchem Pflaster rutscht
Bricht man sich das Genick

Dem Dichter Heine folgte stets
Ein Mann mit einem Beile
Er war die Tat von Heines Geist
Und teilte aus die Keile

Ich teil die Keile selber aus
Mit dem Maschingewehr
(Die Arbeitsteilung: Kopf und Hand
Genügt uns heut nicht mehr)«

Ich sagte ihr wies ist mit mir
Die Wahrheit unverhohlen
Sie schaute mich ungläubig an:
»Sie wolln ein' wohl verkohlen?!«

»Nein, doch! Ich knall auch Menschen ab
In Hamburg läuft ein Mann rum
Der brachte meinen Vater fast
Mit einer Kette um

Mein armer Vater, schönes Kind
Hing im Gestapo-Keller
Neun Monate in Ketten fest
Wie ein bemalter Teller

Wie ein bemalter Teller, den
Manch einer sich zur Zier
An seine Wand hängt, so hing da
Mein Vater bei dem Tier

Mein Vater hing bei diesem Herrn
An einem Schlachterhaken
Prolet Prophet Prometeus mit
Dem ungebrochnen Nacken

Der deutsche Mann von damals lebt
Jetzt still als Fleischinspektor
Im Schlachthof von Peymann & Co
Und singt im Männerchor

Er liefert Rind- und Schweinefleisch
Das hat sich gut getroffen
In Zinksärgen wie man sie hat
Beim Schlachter: oben offen

Doch meiner Mutter schickte er
Pro Monat, ach das tat er
Ein dreck- und blutverschmiertes Hemd
Frei Haus von meinem Vater

Und meine Mutter wusch das Hemd
Mit Seife und mit Tränen
Und wartete auf ihren Mann
Mit Zittern und mit Sehnen

Sie wartete acht Jahre, bis
Mein Vater mit den Wolken
Von Auschwitz wieder heimwärts schwamm
Nach Hamburg . . . in den Wolken

Sie sehn, ich habe allerhand
In Hamburg zu besorgen
Der Herr wohnt Große Bleichen acht
Ich hoff, ich treff ihn morgen

Zuerst fahr ich nach Langenhorn
Die Mutter kurz besuchen
Sie schrieb mir: ›Komm, ich backe dir
den schönsten Kirschenkuchen‹

Sie schrieb: ›Mein Sohn, bring, wenn Du kommst
Was mit zum Schießen Dir
Die Krähen fraßen diesen Herbst
Die roten Kirschen mir

Von meinem letzten Kirschenbaum
Es ist zum Haarausraufen
Die Kirschen für den Kuchen mußt
Ich diesmal teuer kaufen‹«

Mißtrauisch sah das schöne Kind
Auf den Gitarrenkasten
Ich glaub sie glaubte mir kein Wort
Sie wollt sich nicht belasten

Sie sagte nur: »Im Osten wird
Euch auch das Kreuz gebrochen
– Was man so in der Zeitung liest . . .«
Ich hab nicht widersprochen

Ich kniete mich dicht vor sie hin
Und sprach: »Probiern Sie mal
Und tasten Sie mein Rückgrat ab«
– die Hand war weich und schmal

Sie tastete mein Rückgrat ab
Mit ihren zarten Fingern
Der Zug beschleunigte die Fahrt
Und fing stark an zu schlingern

Ich fiel auf ihre weichen Knie
Wir mußten beide lachen
Die Rentner sahen böse zu
Als müßten sie uns bewachen

»Ihr Kreuz ist grader jedenfalls
Als unter uns die Schienen
Ich wüßte gern, wie lang die schon
Als Unterlage dienen«

Wir sprachen dann von Liebe noch
Von Freiheit lang und breit
Bis Ludwigslust verging uns so
Sehr angenehm die Zeit

Sie ließ nicht nach: »Ihr drüben lebt
Im Ghetto und versauert!«
Ich nickte schief und sprach: »Ich hab
Die Mauer mitgemauert

Die Falle aus Beton und Draht
Ist lang und eine Sünde
Ich hab in sie mit reingebaut
Zorn, Träume und viel Gründe«

Ballade von Leipzig nach Köln
am am2 am
Zur Mes-se in
Im Opel -Re-
dm7 G7 C E7
Leip-zig ein Kauf-mann aus Köln war
kord ging es leicht nach Ber-lin Nach
am G7 C5
jung und war reich und war schön
Köln mit dem Flug-zeug so schnell
E7 am am
„Du Blon-de, du Wei-che, ich
„Du jun-ger, du rei-cher, du
dm7 G7
hei-ra-te dich kannst mit mir nach
schö.....ner Mann jetzt hei-ra-ten
1. C E7 2. C G C
We--sten gehn. Stell!" Ach, mit dem
wir auf der
F 3 E7 3 am F
Strom fahrn die Schif-fe so schnell auf dem Rhein da-
dm7 em G7 C 3 F 3
hin, da-hin ach, ge-gen den Strom geht es
C 3 E7 am dm7 G7
lang-sam zu-rück Ich weiß nicht wie trau-rig ich
C E7 (Nur Schluß →) am
bin

Ballade von Leipzig nach Köln

Zur Messe in Leipzig, ein Kaufmann aus Köln
War jung und war reich und war schön
»Du Blonde, du Weiche, ich heirate dich
Kannst mit mir nach Westen gehn.«

Im Opel-Rekord ging es leicht nach Berlin
Nach Köln mit dem Flugzeug so schnell
»Du junger, du reicher, du schöner Mann
Jetzt heiraten wir auf der Stell!«

Ach! mit dem Strom fahrn die Schiffe so schnell
Auf dem Rhein dahin, dahin
Ach! gegen den Strom geht es langsam zurück
Ich weiß nicht, wie traurig ich bin

»Du Blonde, du Weiche, wir heiraten nicht
Ich erbe doch Vaters Fabrik
Ich kauf dir ein Häuschen in Düsseldorf
Damit meine Frau uns nicht sieht.«

Der Rhein fließt unter den Brücken hin
Das Wasser voll Öl und voll Ruß
Die Lorelei stürzt in den Rhein
Damit sie nicht singen muß

Ach! mit dem Strom fahrn die Schiffe so schnell
Auf dem Rhein dahin, dahin
Ach! gegen den Strom geht es langsam zurück
Ich weiß nicht, wie traurig ich bin

Kapitel V

Schwanheide ist der Grenzbahnhof
Wir hielten nur Sekunden
Die Grenzer und die Zolljungfraun
Sind aus dem Zug verschwunden

Die Grenze selbst war kaum zu sehn
Die Stacheldrahtbarrieren
Zwei Rotarmisten standen müd
Mit Schnellfeuergewehren

In ihren Fingern hielten sie
Die scharfen Papyrossi
Der eine warf die Kippe weg
Der andere genoß sie

Im Weiterfahren dachte ich:
Ihr armen armen Schweine
Wozu steht ihr am Arsch der Welt
Euch in den Bauch die Beine

Im letzten Krieg, im blutigsten
Von allen großen Kriegen
Da schossen eure Väter gut
Und starben wie die Fliegen

Für nichts für alles und für mich
Verloren sie ihr Leben
Und ihr verliert jetzt eure Zeit
(Weiß ich was noch daneben!)

Ich salutierte innerlich
Den kahlgeschornen Freunden:
Ihr seid das Rückgrat unsrer Macht
Euch werd ich nie verleumden!

Euch werd ich immer vorteilhaft
Und lobend nur erwähnen!
Den Russenbär, ich lieb ihn mehr
Als Großdeutschlands Hyänen

Der Zottelbär, der russische
Ist nicht mehr so romantisch
Wie Heines Tanzbär Atta Troll
Auch nicht so dilettantisch

Wie Becher ihn besungen hat
In seinen glatten Oden
Bei Becher hat der Bär kein Herz
Kein Hirn und keine Hoden

Genossen mit dem roten Stern
Soldaten, Offiziere
Ich liebe euch, die Menschen und
Sogar die höheren Tiere

Ihr habt ja dem Heil-Hitler-Volk
Den Reißzahn ausgezogen
Habt es befreit belehrt bekehrt
Und freilich auch belogen

Ihr exportiertet ja nicht nur
Abstrakte Menschlichkeit
Ihr gabt uns Stalins Knüppel mit
In dieser harten Zeit

Die Macht des Proletariats
– beziehungsweise derer
Die sie vertretungsweise noch
Ausüben, unsre »Lehrer« –

Die ganze rote Richtung war
Nach zwölf Jahren Faschismus
Ein unwillkommenes Geschenk.
(Zumal der Sozialismus

Von damals noch ein Krüppel war
Ein widerlicher Zwitter:
Halb Menschenbild, halb wildes Tier
Halb Freiheit und halb Gitter)

Wenn ich wo Rotarmisten seh
Dann blutet meine Wunde
Der Deutsche ist schon wieder fett
– Sie leben wie die Hunde

Kapitel VI

Die Schöne aß ein Butterbrot
Sie aß in kleinen Happen
Ich zwängte mich aus dem Abteil
Ein bißchen Luft zu schnappen

Allein stand ich im Gang herum
Die Landschaft flog vorbei
Notdürftig deckte grauer Schnee
Den Mecklenburger Brei

Der Zug brach durch das Niemandsland
Durch unsichtbare Schranken
Mir schossen durch den Kopf dabei
Gesamtdeutsche Gedanken

Was eint die Deutschen eigentlich
Trotz Stacheldraht und Minen
Was ist an dem zerrissnen Volk
Noch unteilbar geblieben?

Der Zug schrie auf, es kreischten wild
Die Räder auf den Gleisen
Das klingt wie Beifall, Volksgebrüll
Ihr wart doch schon auf Reisen

Ihr wißt, das geht durch Mark und Bein:
Eine berauschte Menge
Die Schienenstöße hacken drein
Wie Schüsse ins Gedränge

Das klingt wie Massenbrüllerei
Fanatische Psychose
Ganz unwillkürlich stellte ich
Mich auf in Rednerpose

Die Rede fing gesamtdeutsch an:
Das Wetter ist heut schön
Ein Regen geht auf Ost und West
– Das ist leicht einzusehn

Es brandete der Beifall auf
Ich dankte für die Ehre
Ähnlich trainierte Demosthenes
Das Reden dicht am Meere

Der Zug fuhr noch durch Niemandsland
Das Klatschen nahm kein Ende
Ermutigt gab der Rede ich
Eine politische Wende:

»Die maßgeblichen Kahlköpfe
In beiden deutschen Staaten
Es eint sie, daß sie beide für
Die Einheit wenig taten

Sie hoffen beide weiterhin
Daß jeweils bei dem andern
Die Reaktion am Ruder bleibt
Sie müßten selbst sonst wandern

Der Bonner Kriegsminister ist
Ein strammer Marcus Cato
Er ist die schönste Perle in
Dem Rosenkranz der NATO

Ein Schlachtfeld ist das deutsche Land
Die Waffenwälder blühn
Wie Aussatz wuchern die Armeen
Die täglich drüber ziehn

Wir Deutsche sind in Ost und West
Die treuesten Legionen
Der Generäle, die im Pentagon
Oder im Kreml thronen

Wir spieln das Schlachtvieh und wir spieln
Wenns sein muß auch den Schlächter
Dazu sind wir im Geist seit je
Die kühnsten Spiegelfechter

Unteilbar ist auch nach wie vor
Der Gartenzwerg, der deutsche
Der Westen hat den Peter Hacks
Wir haben unsre Neutsche

Von Walter Ulbricht rede ich
Nicht mehr, ich glaub er hat
Den Kampf mit Kunst und Wissenschaft
Schon langsam selber satt

Die Rundfunklügner eint, daß sie
Vom Steuergeld schmarotzen
Das Fernsehn ist in Ost und West
Pardon, es ist zum Weinen!

Das alles eint uns kolossal
Wir bleiben was wir waren:
Das deutsche Volk, ein einig Volk
von Denkern und Barbaren!«

Ein Riegel klappte hinter mir
Es trat aus dem Abort
Ein alter Eisenbahner und
Ich unterbrach mein Wort

Auch fuhr der Zug jetzt langsamer
Es ebbte ab das Dröhnen
Ich ging zurück in das Abteil
Zu meiner blonden Schönen

Im Nachhinein fällt einem ein
Was man hätt sagen sollen!
Nee, diese Rede war nicht das
Was ich hab sagen wollen

Der Beifall war zu ungeteilt!
Gesamtdeutsch war er nämlich
Ein Publikum, das nur noch klatscht
Macht jeden Redner dämlich

Zumindest hätt ich sagen solln
Was besser, gut und wahr ist:
Ganz Deutschland wird ein rotes Land
– damit das erst mal klar ist:

Die deutsche Einheit kommt! Doch nur
Im Geiste des Propheten
Karl Marx und nur im Klassenkampf
Der Bauern und Proleten!

(Damit sich's reimt! Nur darum nenn
Ich hier zuerst die Bauern!
Ach, Kunst ist schwer – man sagt so leicht
Was andre dann bedauern)

Kapitel VII

Das Niemandsland lag hinter uns
Der Zug fuhr ein in Büchen
Der Bahnhof voll von Rotem Kreuz
Und von Kaffee-Gerüchen

Und meine Rentner drückten sich
Platt die verdorrten Nasen
Ne Heilsarmee mit Pappbechern
Sahn sie auf sich zu rasen

Die Fenster rissen sie herab
Mit mächtig schwachen Armen
Und soffen gierig das Gesöff
Es war zum Gotterbarmen

Die Milch der frommen Denkungsart
Wurd nie so geil geschlabbert
Wie diese Bundesplörre, selbst
Das Aug hat mitgesabbert

Es hätt nicht viel gefehlt, daß sie
Die Pappbecher auswringen
Sie wollten wohl ihr welkes Fleisch
Noch mal zum Blühen bringen

Die Omas löschten ihren Durst
Mit froher Zitterhand
Die wasserdichten Opapas
Sie löschten ihren Brand

... mit Juden- und Kommuneblut
Vor einunddreißig Jahren
Da löschten die den Reichstagsbrand
Als sie noch Männer waren

Jetzt sind sie alt und abgewrackt
– ich hatte es fast vergessen –
In ihrer Jugend wollten die
Die ganze Welt auffressen

In ihrer Jugend waren die
Von Goebbels Schnaps besoffen
Und jetzt vom Rentnerfreibier, ach
Das hat mich doch betroffen!

Das ist die Generation
Der treuen deutschen Frauen
Des Führers stramme Mutterschaft
– Mich packte kaltes Grauen

Das sind die Männer, die einstmals
So hart wie Krupp-Stahl waren
Das alte Eisen der Nation
Verrostet mit den Jahren

Es prasselte ein Regenguß
Von aufgestauten Flüchen
Hart auf mein armes Trommelfell
Im Grenzbahnhof zu Büchen

Sie sangen sich die Seele frei
Mit Zeter und Gezitter
– ein Sängerfest aus Gift und Muff
Genossen, das war bitter

Ach, hätte unser teuerster
Und arbeitsamster Rentner
Seine Altersgenossen so gehört
– ich glaub, es wär patenter

Als eine ganze Garnison
Von hochbezahlten Spitzeln
Die mühsam nur aus diesem Volk
Ein offnes Wort rauskitzeln

Der Freiheitsdrang, der Speichel floß
Der Fluß schlug hohe Wellen
Mir drehte sich der Magen um
Sie fingen an zu bellen

Sie stöhnten und sie keiften los
Es kam wie abgekartet
Ich juckte mich am Hinterkopf
Das hatte ich nicht erwartet

Es war mir peinlich außerdem
Vor meiner blonden Schönen
Ich wandte mich zum Fenster weg
Und tat als müßt ich gähnen

Sie griff nach meiner Hand und sprach
»Mich stört das auch schon lange
Die tun ja grad, als fielen sie
Bei euch nackt von der Stange«

Ich sagte ihr: »Die DDR
Ist eingesargt in Mauern
Ist wahrlich nicht das Paradies
Der Arbeiter und Bauern

Wenn wir mit Recht kein gutes Haar
An unsrem Staate lassen
– es spricht *für* unsre Republik
Daß diese da sie hassen!

Es spricht für sie viel tausendmal
So klar sah ich das selten
Zehn Schritte über die Grenze weg
Eröffnen sich schon Welten!«

Ihr Rentner seid der Abgesang
Der alten schlimmen Zeit
Ein müder Rest vom Knechtevolk
Aus deutscher Herrlichkeit

Mich täuscht nicht euer weißes Haar
Ich fürcht euch ohnegleichen
Ihr seid auf Deutschlands bleicher Stirn
Des Brandmals böses Zeichen

Ich hasse euch und fürchte euch
Ihr dummen deutschen Greise
Ihr habt den Auftakt mir verhext
Für meine Winterreise

Kapitel VIII

Von Büchen bis nach Hamburg ists
Nur noch ein Katzensprung
Drei Jahre war ich nicht zu Haus
Der Zug kam gut in Schwung

Ich roch schon meine Vaterstadt
Die herrlichen Gerüche
Gemisch aus Hafen, Rauch, Benzin
Und guter Bürgerküche

Bei Hamburg riecht der Elbefluß
Schon sehr verführerisch
Nach Nordsee und nach Engelland
Nach Teer und Hochseefisch

Da weht der herbe Wind vom Meer
Der so das Fernweh reizt.
Dort, wo die Elbe von Natur
Die strammen Schenkel spreizt

Liegt Hamburgs Hafen, herrlich breit
Ein toller Liebesgarten
Wo Tanker ankern, sich entleern
Und fülln für neue Fahrten

Im Riesenschoß der Schutzgöttin
Hammonia, der guten
Da schlafen Schiffskolosse und
Viel tausend kleine Schuten

Ein Liebesgarten für die Welt und
Fruchtbar ohnemaßen
Von Kränen dicht bewachsen, tief
durchfurcht von Wasserstraßen

Und weiter oben in der Stadt
– was man noch sagen müßte –
Die Alster, lieblich zweigeteilt
In ungleich große Brüste

Die Lombards-Brücke zwischendurch:
Ein Busen, vielbefahren
Ach Schutzgöttin Hammonia
Wir sahn uns nicht seit Jahren!

Hammonia! Hammonia!
O öffne mir die Beine
Wie, Göttin, gnädig du es tatst
Damals mit Heinrich Heine

Auch laß mich in die Zukunft schaun
Glaub mir, das wäre nötig
Die Deutschen sind mal wieder deutsch
Bewaffnet, satt und krötig

Ich war damals im »Silbersack«
So selig und betrunken
Das Bier! Der Säuferschweiß! Auch die
Musik hat mir gestunken

Und du auf meinem Schoß, du sangst
Das Lied vom Wein im Rheine
Wir gröhlten den Refrain dazu
Mir starben ab die Beine

Nicht minder litt Christophorus
Der einst den Jesusknaben
Die süße Last mit letzter Kraft
Über den Fluß getragen

Ich trug dich, Göttin, jene Nacht
Durch tiefe Schnapsgewässer
Und dein Gewicht! Eh'r trag ich noch
Drei volle Heringsfässer!

Dann gingst du, ich wollt mit dir gehn
Und konnte nicht mehr laufen
Das war schön dumm, denn dann begann
Das große Wassersaufen

Am nächsten Morgen fand ich mich
In einer üblen Lache
Aus Bier, Schnaps, Galle, Nasenblut
Dicht bei der Davidswache

Und mir brach der kalte Schweiß
Aus verdreckten Poren
Als ich wieder nüchtern war
Hab ich mir geschworen:

Sollte, Göttin, jemals noch
Mir die Chance winken
Trag ich dich durch jeden Fluß
Und werd nicht ertrinken!

Kapitel IX

Die Tür von unsrem Zugabteil
Wurd plötzlich aufgeschlagen
Drei nette Herren traten ein
Mit blendend weißen Kragen

Der dunkelblaue Einreiher
Wirkt bieder hanseatisch
Wie Kapitäns auf Landurlaub
Chic, seriös, sympatisch

Bewaffnet nur mit einem Buch
Faustdick und trotzdem handlich
Da steht das Menschenfreiwild drin
(Verbrecher nur, bekanntlich)

Die Rentnerpässe sahn sie an
Gelassen im Vorbeigehn
Da kann man gleich den Unterschied
Zur Ost-Kontrolle sehn!

Die Omas blickten dankbar auf
Die Opas grunzten friedlich
Ich zeigte meinen Ausweis vor
Und lächelte gemütlich

Mein frommer Blick war garnix wert
Der scharfe Fleischerköter
Verbiß sich in das Stück Papier
Sein Auge wurde röter

Er blätterte im Fahndungsbuch
Schon hat er mich gefunden
Und schmunzelt: »Biermann Karl-Wolf, Sie
Gehörn zu unsern Kunden

Sie sind seit einundsechzig in
Der Zonen-Staats-Partei
Wer schickt Sie her, wer lädt Sie ein?
Was haben Sie dabei

An Propagandamaterial
Und überhaupt zum Lesen
Wo wohnen Sie von wann bis wann?
Wer zahlt die Reise-Spesen?

Mann, spinnen Sie hier nicht!
Sie wolln zu Ihrer Mutter?!
Ich denk, Sie wollten singen gehn?!
Ihr rechtes Jackenfutter –

Darf ich mal sehn? Was heißt privat?!
Das ist doch keine Antwort!
Nach München wolln Sie auch?! Ach so
Sie wechseln Ihren Standort . . .

Von wann bis wann sind Sie in Köln?
Wer lädt Sie ein in Darmstadt?
Wo schlafen Sie in Heidelberg?
Bezahlt der SDS das?«

Es wurd ein hochnotpeinliches
Ein deutsches Kreuzverhör
Mir war, als ob ich im Abteil
Mein letztes Hemd verlör

Im Umgang mit der Staatsgewalt
Bin ich sonst hart gesotten
Bei diesem Staatsempfang im Zug
Verging mir doch das Spotten

Er schnüffelte in meinem Kram
Bis kurz vor Hamburgs Toren
Die Schöne saß gelähmt dabei
Mit fahnenroten Ohren

. . . Du bundesdeutscher Polizist
Mit deinen schlauen Listen
Du ahnst ja nicht, wie wohl das tut
Für einen Kommunisten

Der bleichgeglüht vom Kampf ist mit
Den eigenen Genossen
Ich habe, Dummkopf, dein Gebell
Wie Bachmusik genossen

Du ahnst ja nicht, wie sehr ich mich
Zermartere und quäle
Denn Haß auf Menschen, die man liebt
Verbrennt die eigne Seele

Der Biß des ersten Schlachterhunds
An bundesdeutscher Leine
War heilsam für mein krankes Herz
Auch für die blonde Kleine

Der gute alte Klassenhaß
Er kehrte langsam wieder
In meinem Kiefer knackten schon
Ganz neue deutsche Lieder

Kapitel X

Als ich die Küchentür zu Haus
Mit einem Ruck aufmachte
Fiel meiner Mutter aus der Hand
Ein Teller und sie lachte

Sie weinte und sie lachte wild
Und haute mir ne Schelle
»Das ist für dein' Parteirausschmiß!«
Sie füllte mit der Kelle

Mir eine heiße Suppe ein
Aus Fleisch und Rinderknochen
Womit man Tote lebend macht
Kein Mensch kann die so kochen

Ich saß auf meinem alten Platz
Und schlürfte mit Vergnügen
Erzählte zwischendurch was aus
Berlin in groben Zügen

»Mein Sohn, es scheint, du bist ja wohl
Richtig berühmt geworden
Besonders hier im Westrundfunk
– doch nützen uns die Orden

Die dir die Feinde um den Hals
Zur Anerkennung hängen?
Sind das nicht lauter Mühlsteine?
Und läßt du dich nicht drängen

In eine falsche Position
Wo dich die Feinde loben?
Das gute alte Bebelwort
Ist doch nicht aufgehoben . . .

. . . Du bist doch unsrer Sache treu
Ich mach mir große Sorgen
Versteh mich recht, ich grüble oft
Vom Abend bis zum Morgen«

»Das gute alte Bebelwort,
Mama, es gilt noch immer
Doch gibt es Feinde der Partei
Die sind noch zehnmal schlimmer

Sie sitzen in den eignen Reihn
Ganz unten und ganz oben
Und da gilt auch das Bebelwort:
›Wenn dich die Feinde loben . . .‹

Und diese Feinde hassen mich
Die deutschen Stalinisten
Weil ich kein weißes Schaf bin, führn
Sie mich auf schwarzen Listen

Seit ich aus der Partei flog, lobt
Der Westen mich emphatisch
Die schlagen mich – die schmeicheln mir
Das geht ganz automatisch

Man steigt im Westen hoch im Kurs
Wenn man im Osten absackt
Herr Springer greift nach jeder Hand
Die Walter Ulbricht abhackt

Das ist das deutsche Schaukelspiel
Gesamtdeutsches Entzücken:
Der Balken liegt dem ganzen Volk
Quer auf dem krummen Rücken

Sag lieber: Was macht die Partei
Die Hamburger Genossen?
Seit dem Verbot der KPD
Ist schon viel Zeit verflossen

Trefft ihr euch? Existiert auch noch
Die Langenhorner Zelle?
Teilt Kalli Kroll noch Prügel aus?
Kassiert noch Else Schnelle?«

»Hier sitzen alle, grad der Kroll
Vor ihren Flimmerkisten
Er prügelt nur noch seine Frau
Und nicht die Polizisten

Die liebe Else ist längst tot
Wir werden eben älter
Das Herz schlägt heiß wie immer, doch
Die Füße werden kälter

Wir trinken manchmal illegal
Kaffee und essen Torte
Und reden über Politik
Nur Worte. Worte, Worte . . .

Es ist das alte Lied, mein Sohn
Wir schmorn im eignen Saft
Die Jugend ist verrückt auf Geld
Den Alten fehlt die Kraft

Der olle Kuddel Schauer sitzt
In Untersuchungshaft
Bei Adolf saß er schon im Knast
Jetzt haben sies geschafft

Bei Blohm & Voß wurd er geschnappt
Beim Flugblätterverteilen
Das Zeug liest sowieso kein Aas!
– Die hetzen nur und geilen

Nach Auto und nach Eigenheim
Nach immer neuen Moden
Ich weiß nicht, was noch werden soll
Wir sind wie nie am Boden

Die Nazis folterten uns tot
Doch die Partei blieb leben
Heut schaffen sie uns pö à pö
Weil sie uns Zucker geben

Geh ich zu Nachbarn agitiern
Dann bin ich gleich verloren
Dann haun sie mir den Stalin und
Die Mauer um die Ohren

Und sage ich: Die DDR
Dort herrschen die Proleten
Dann lacht der Schmidt und sagt mir frech:
Hier herrschen die Moneten

Und ob das noch Proleten sind
Sagt mir der Schmidt noch dreister
Für mich sind diese Herren da
Doch höchstens Maurermeister!

Da hättst du mich mal sehen solln
Ich ging ihm an den Kragen
›Sie ganz gemeines Nazischwein!‹
Jetzt will er mich verklagen

Glaub mir: die ganze Nazibrut
Liegt wie ein Schweineschinken
Im Wirtschaftswunderkühlschrank und
Hört doch nicht auf zu stinken

Achgott, ich hab ihm Tiefkühlfach
Ein Sahneeis zu liegen
Mein Jung, du kannst zum Nachtisch gleich
Auch noch ein Kaffee kriegen«

Ich hörte zu und trank und aß
Mit gutem Appetit
Es tut doch gut, wenn man nach Jahrn
Die Mutter wiedersieht

Kapitel XI

Das Bett war weich, mein Bauch war voll
Ich konnt und konnt nicht schlafen
Im Mund ein bitterer Geschmack
Vom Zigarettenpaffen

»Mama, ich bin zum Kotzen satt
Und bin so ausgehungert
Nach Menschen auf dem Jungfernstieg
Ich geh noch in die Stadt«

»Mein Jung bleib hier, ich glaub du hast
Den Magen dir verdorben
Und außerdem: die Innenstadt
Ist nachts wie ausgestorben

Im Zentrum bauten sie seit Jahrn
Nur Kaufhalln und Büros, da
Wohnt kein Mensch, nach Ladenschluß
Ist absolut nix los da«

»Mama, ich suche eine Frau
Aus manchen guten Gründen
Du kennst das Weib dem Namen nach
Ich muß sie heut noch finden

Zu lange Jahre sah ich nicht
Hammonia, die Gute
Mit dem enormen Hinterteil
Und mit der Zuckerschnute«

Die Mutter gab mir Schlüssel mit
Und hundert harte Westmark
Und auf die Faust ne Scheibe Brot
Mit Konfitür und West-Quark

Ich schlenderte vom Gänsemarkt
Dem Jungfernstieg entgegen
Und schlug den Mantelkragen hoch:
Hamburger Nieselregen

Der Nieselregen ist berühmt
Genau wie Günter Grass
Er trommelt auf die Deutschen, doch
Er macht sie nie ganz naß

Die Autos glitten schwarz vorbei
Auf spiegelblankem Asphalt
Vornehme Gegend da, es war
Ganz menschenleer und naßkalt

Der Mensch in seinem Auto gleicht
Dem Ritter in der Rüstung
Blech schirmt ihn von der Umwelt ab.
Ich lehnte an der Brüstung

Die Alster lag versteinert da
Und spiegelte die Lampen
Wo Heine damals Austern soff
Mit dem Verleger Campen

Im Alsterpavillon sah ich
Durch tüllverhangne Scheiben
Sich alte Herrn und schöne Fraun
Die Abendzeit vertreiben

Von meiner Göttin keine Spur
Wie ich die Dicke kenne
Sitzt sie mit einem netten Gast
In irgendner Kaschemme

Ich angelte mir ein Straßenschiff
Ein' Diesel von Mercedes
Zum »Silbersack« St. Pauli kommt
Man nicht bequem per pedes

Zum »Silbersack«, denn ich genoß
In dieser wüsten Landschaft
Zum ersten Mal Hammonias
Erhabene Bekanntschaft

Mann, mich trat ein totes Pferd
Als ich mit der Taxe
Durch die Stadt fuhr: der Chauffeur
War ein echter Sachse

»Sie sin wohl främd hier! Was? Ich bin
Weggemachd aus Dräsdn
Gurz vordäm die Mauer gahm
Flichtätän die meestn«

Während so die Fahrpreisuhr
Hastig in die Höh sprang
Quasselte er ungeniert
Den vertrauten Singsang

»Mir sin da, finfmaakunzähn«
Näselte der Sachse
Auf der Reeperbahn stieg ich
Aus der Sachsen-Taxe

Kapitel XII

Drei Pils trank ich im »Silbersack«
Und fragte eine Puppe
»Kreuzt hier noch manchmal Hammi auf,
Die göttliche Schaluppe?«

»Ich kenn in diesen Drecklokal
Nur eine Frau, mein Kleiner
Und das bin ich, nanu, du bis
Ja wohl ein ganz alleiner!

Mein keuscher Joseph, komm, bestell
Uns beidn mal ein' Boone
Du tu nich so, dein Schnauzbart is
Nu grade auch nich ohne!«

Ich zog mit ihr von Loch zu Loch
Die Große Freiheit runter
Die Kleine Freiheit wieder rauf
Der Abend wurde munter

Sie zerrte mich in einen Bau
Für Damenschlammringkämpfe
Die Damen bissen, kratzten, schrien
Und hatten Schlammbauchkrämpfe

Die dicken Weiber dort im Ring
Sie stampften unersättlich
Mit strammen Waden durch den Schlamm
Sie waren wenig göttlich

Ich fand und fand die Göttin nicht
Es wurd schon ungeduldig
Die Kleine aus dem »Silbersack«
»Du bis mir noch was schuldig!

Komm mit, jetzt will ich endlich sehn
Was sons noch an dir an is
Ich wette, süßer Seehund, daß
Du ein ganz starker Mann bis!«

»Heut kann ich nicht. Das nächste Mal!
Du weißt, ich such ne andre
Den Kies steck ein und schlaf dich aus
Nun geh! Sei lieb und wandre!«

»Du bis mir ja der letzte Dreck
Mein allerschärfster Freier!
Schieb ab! Und laß dich nie mehr sehn!
Und brate deine Eier

Zu Haus auf Mutters Pfanne, Mensch!
Mit Salz und scharfn Pfeffer!
Vielleich wirst du gesund, du Sack
Und kanns es wieder besser!«

Sie nahm das Geld so haßerfüllt
Mann, hat mich das gerührt!
Da gibt es noch Berufsethos
– das hätte mich fast verführt

Dann schwankte ich zum Hafen runter
Und brüllte ununterbrochen
»Hammonia, Hammonia
Wo hast du dich verkrochen?«

Die Brüllerei macht Durst. Die Nacht
Hat auch so ihre Tücken
Ich warf noch einmal Anker aus
Dicht bei den Landungsbrücken

Der Budiker so breit wie hoch
Die rote Kümmelnase
Hing wie ne müde Nelke in
Der ungeheuren Vase

»Hammonia, min Jung, is krank
Ich weiß von Hörensagn
Sie liegt zu Haus und quält sich rum
Sie hat es mit den Magn

Der CDU-Sieg vor vier Jahrn
Den konnt sie nich verdaun
Solch Brocken kann ja einen auch
Den Appetit versaun

Und denn hat sie in Ost-Berlin
Ein' Freund von früher hausn
Den wollte sie besuchn, doch
Da ließen die Banausn

Sie nicht durch diese Mauer durch
Weil die kein' Spaß verstehn
Seit wann habn Götter ein Papier –
Die wolltn Hammis Paß sehn!

Nun fließt die Spree Hammonia
Als Wasser in die Beine
Die deutsche Teilung machte ihr
Zwei dicke Gallensteine

Der Hafen blüht, die Stadt kommt gut
Auch ohne sie zu Rande
Klei mi an Moors! der Rubel rollt!
– und trotzdem is ne Schande

Großkotzig machen sie und tun
Wenn nur der Schornstein raucht
Die Göttin wird in solche Zeit
Von keinem Schwein gebraucht

Es kommt der Tag, wer weiß, wer weiß
Wo alle nach ihr flennen
Wenn wir in nackte Todesangst
An ihre Schürze hängen!«

Kapitel XIII

Die Nacht war naß, die Nacht war kalt
Ich hatte nicht einen Groschen
Die Leuchtfassaden starben ab
Die Schaufenster erloschen

Ich heulte wölfisch in die Nacht
Hoch zu dem Mond, dem bleichen
Hammonia! Hammonia!
Mensch, gib mir doch ein Zeichen!

Das Bismarckdenkmal tauchte auf
Und unten, nah den Stufen
Ein kleines Zelt vom Straßenbau
Das kam mir wie gerufen

Das war genau das Richtige
Für meine müden Knochen
Auf allen Vieren bin ich durch
Den vordern Schlitz gekrochen

Müllschlucker funktionieren ganz
Exakt wie dieses Zelt
Kaum war ich drin, verließ ich schon
Beschleunigt diese Welt

Erst rutschte ich in' Gullischacht
Auf einer glitschig schiefen
Holzebene, dann sauste ich
Senkrecht in tiefre Tiefen

(Es ging schon oft bergab mit mir
Auf dieser platten Welt
Nun merkte ich wie nie zuvor
Daß, wenn man fällt, man *fällt!)*

Ihr kennt ja selbst vom Schaukeln her
Dies Ziehen tief im Magen
Wie lang ich mich im freien Fall
Befand, ist schwer zu sagen

Doch fiel ich weich, in einen Schlamm
Das war noch immer besser
Als alles andre, denn ich fiel
In Hamburgs Abgewässer

Der Nachttopf einer ganzen Stadt!
(Ich möchte euch verschonen –
Vielleicht genügt der Hinweis euch:
Das ist kein Ort zum Wohnen)

Durch eisig kalten Dreck schwamm ich
Ums nackte Überleben
Im Grunde gings mir ebenso
Auch sonst in diesem Leben

Versteht ihr jetzt, warum ich nie
An euren Tischen mäkel?
Die Todesfurcht ist nämlich doch
Noch tiefer als der Ekel

Der Strom riß mich von nirgendwo
Nach nirgendwo in Hast
Die Kleider hingen schwer an mir
Eiskalte Zentnerlast

Die Kräfte ließen nach, ich gab
Es auf und ließ mich sacken
Da fühlte ich mich eine Faust
Plötzlich im Nacken packen . . .

. . . und riß mich hoch. Ich sagte mir:
Da hast du es, du Spötter
Der Mensch lebt nach dem Tode *doch*
Es gibt sie doch, die Götter!

– Du kommst zwar in der Unterwelt
Nicht grade wie ein Lord an
– egal, wenn es auch furchtbar stank –
Jetzt sind wir übern Jordan

Ich wurd durch Rohre durchgezerrt
Durch schimmelweiße Keller
Gasstrümpfe brannten bläulich-grün
Es wurde warm und heller

Gespenstig ging wer neben mir
'ne massige Gestalt
Die Abgewässer rauschten fern
Und schaurig hats gehallt

Er ließ mich liegen, brachte dann
Drei Eimer heißes Wasser
Und zog mich aus und seifte mich
Kein Körperteil vergaß er

Aus einem Riesenkleiderballn
Zerfressen schon von Motten
Zog er mir eine Uniform
Rot-Front-Kämpfer Klamotten

Verdammt noch mal, da sah ich mir
Den Mann genauer an:
Ein Kleiderschrank mit kahlem Kopf
Tatsache! Teddy Thälmann!!

Kapitel XIV

»Genosse Thälmann, Teddy! Mensch!
Daß ich dich hier gefunden!
Die deutsche Reaktion zählt dich
Längst zu den toten Hunden

Und das ZK unsrer Partei
Hat dich kanonisiert
Du bist zum ersten Heiligen
Der Kirche avanciert!«

»Wie redst du überhaupt mit mir
Du naseweises Rotzlicht?
Wer ist das, der so familiär
Hier unten bei mir einbricht?«

»Ich bin von damals noch der Sohn
Vom Hammerbrooker Biermann
Und meine Mutter kennst du auch
Die kleine Emmi Biermann«

»Denn büss du jo de Enkl von
Den olln Kuddl Dietrich
De mit dat Glasooch! Sett di henn
Un mook di dat gemütlich!«

Einen steifen Grog (Rezept:
Rum muß – Zucker kann –
Wasser braucht nicht) braute mir
Teddy Thälmann dann

Gierig trank ich zwei drei Glas
Von dem Grog, dem heißen
Thälmanns Schiffszwieback dazu
War zum Zahnausbeißen

»Nun sag mal, Teddy, sind wir tot?
Oder sind wir noch am Leben?«
»Unsterblich sind die Menschen, die
Sich für die Menschheit geben«

»Und warum vegetierst du in
Der Kanalisation?«
»Ich wart hier unten auf den Start
Zur Weltrevolution

Zwar hat die Revolution
Mal Ebbe und mal Flut
Ein Kommunist ist aber einer, der
Immer was für sie tut

Ich fische täglich stundenlang
In Hamburgs Abgewässern
Da find ich alles vom Brilljant
Bis hin zu Küchenmessern

Ich sammel Waffen, Munition
Und Proviant in Dosn
Auch Uniformen, Stiefel, Schnaps
Und warme Unterhosn

Im Straßenkampf bewährt sich gut
Das leichte Krupp-MG
Ich hab davon vier Stück und doch
Zu wenig, wie ich seh

Im Nebenkeller hab ich noch
Ein' Wald von rotn Fahnen
Das Schönste ist, daß oben die
Von alledem nix ahnen!

Und jetzt zeig ich dir noch ein' Raum
Da lagern ganze Haufn
Goldringe, Broschen, all son Kram
Den wollen wir verkaufn

Sobald es losgeht. Für das Geld
Besorgn wir uns Kanonen
Du siehst: die kleinste Kleinarbeit
Kann sich am Ende lohnen«

Er war auch eingedeckt mit Dy-
namit und andren Scherzen
Zuletzt trat ich in einen Raum
Da flackerten zwei Kerzen

Vor einem hohen Stalinbild
Echt Oel in goldnem Rahmen
Umrankt von Loorbeerfirlefanz
Drapiert mit schweren Fahnen

Davor stand eine Art Altar
Darauf ein Telephon
Sah aus wie aus dem Nachlaßkram
Des alten Edison

»Dies Telephon, mein lieber Sohn«
– sprach Teddy mit Begeistrung
»Ist mein geliebtes Heiligtum:
Entscheidend für die Meistrung

Der Schwierigkeiten, die wir bei
Der Koordination
Des Zeitpunkts haben, wenn sie steigt,
Die Weltrevolution

Nochmal passiert uns nicht, daß wir
So isoliert losschlagen
Wie Dreiundzwanzig in Barmbeck
In den Oktobertagen!

Dies Telephon verbindet mich
Direkt mit Joseph Stalin
Die Leitung geht bis Moskau durch
Direkt in Kreml-Saal rinn«

Als Thälmann so von Stalin sprach
Da hab ich doch gestutzt
Ich fragte ihn: »Wann hast du denn
Das Ding zuletzt benutzt?

Dein Stalin ist längst tot, man nennt
Ihn längst nicht mehr den ›Großen‹
Das Sowjetvolk hat ihn beweint
Verflucht und dann verstoßen

Erst hatte er Glück, er kriegte ein
Begräbnis erster Klasse:
Drei Jahre im Schneewittchensarg
Als Lenins Mit-Insasse

Der hohe Leichnam wurde dann
Von Chruschtschow degradiert
Und in ein Kreml-Mauer-Loch
Respektlos zementiert

Es hat sich nämlich rausgestellt:
Dein Großer war ein Riesen-
Verbrecher-Mörder-Intrigant
Er führte uns in Krisen

Er führte uns in Tod und Not
Genossen ließ er zwingen
Sie mußten selbst am Galgen noch
Ihm Lobeshymnen singen

Und wem die Stimme heiser wurd
Dem brachte dieser Schinder
Die Eltern und die Brüder um
Die Frau und alle Kinder

Und, Teddy, dein Politbüro
Dir kann ich das ja sagen:
Von 11 Genossen starben 6
In Josef Stalins Lagern

Ein deutscher Kommunist

Ein deutscher Kommunist

Es floh ein Genosse aus Buchenwald
Im Februar Neununddreißig
Verhungert, zerschlagen und hundekalt
Ein guter Genosse, das weiß ich

Die Nazis jagten ihn, fingen ihn fast
Im Februar Neununddreißig
Im Lager war für ihn ein dicker Ast
Zum Hängen dran, das weiß ich

Er hatte Glück, die Flucht gelang
Im Februar Neununddreißig
Der Genosse über die Grenze sprang
Ins Sowjetland, das weiß ich
Es hat keine Kugel ihn fangen gekonnt
Im Februar Neununddreißig
Die Nazis schickten ein' Brief nach Moskau
Was darin stand, das weiß ich:

Da stand: ›Genossen, ein Nazi kommt zu euch
Im Februar Neununddreißig
Verkleidet als Häftling aus Buchenwald‹
– und sie glaubten dem Brief, das weiß ich

Im Februar Neununddreißig, da wars
In Moskau hallten die Schüsse
Der Genosse starb als Naziagent
Und es ist, als ob mein Hirn ausbrennt
Und m e i n Herz zerspringen müsse

Im Februar Neununddreißig!

In Wahrheit ist in diesem Lied
Die Wahrheit noch verbogen:
Das mit dem Brief hab ich in die
Geschichte reingelogen

Ach, Teddy, wärest du doch nur
Von all dem informiert . . .«
». . . Ich bins! Ich hab grad eben noch
Mit Stalin telephoniert!

Du denkst wohl, Tote sind schön tot
Und Lebende sind schlauer –
Irrtum! Er hat ein Telephon
Auch in der Kreml-Mauer

Das alles siehst du gründlich falsch
Dein Bild ist falsch belichtet
Der große Stalin hat mir ja
Die Sache selbst berichtet

Wie du den teuerstn, du Lump
Und bestn Kommunistn
Genossn Stalin diffamierst
Entlarvt dich als Faschistn!

Die überschlaue Luxemburg
Die Levys, Brandler, Fischer
Die Revisionistnbrut
Die Klassnkampfverwischer

Die Konterbande kenn ich doch
Die Intellektuelln
Karl Marx studiert – und nix kapiert
Und wolln uns wat vertelln!

Du bist erledigt, doch ich will
Das nicht allein beschließn
Ich ruf mal gleich in Moskau an
Dann werd ich dich erschießn«

Er kurbelte am Telephon
Und lauschte in die Leitung
Ich nutzte diesen Aufschub für
Die letzte Vorbereitung

Mit einem Nagel kratzte ich
Mit furchtgelähmter Hand
Mir eine kleine Grabinschrift
An Thälmanns Kellerwand

Kapitel XV

Ich hatte Glück, es kam kein Ton
Aus Thälmanns Fernsprechtülle
Er kriegte keinen Anschluß, trotz
Gekurbel und Gebrülle

Da knallte er den Hörer auf
Die altersschwache Gabel
»Mal rostet die Membrane durch
Verflucht! Mal bricht das Kabel!«

»Ach Teddy, merkst du nicht? Du bist
Schon selbst total verrostet
Und ahnst nicht, was dein Stalin uns
Gekostet hat und kostet

Dein Straßenkampfgerümpel hier
Ist lächerlich und nutzlos
Der Sozialismus ist nicht mehr
Wie damals macht- und schutzlos

Wir haben Panzer, Bomben und
Gewaltige Raketen
Millionen-Heere stark wie nie
Staatssicherheit, Moneten

In jeder Währung. Und das Volk
Hat Fernsehapparate
Von Peking bis Berlin ist das
ZK der Staat im Staate

Doch unsre roten Fahnen sind
Inzwischen mürb und rosa
Verlassen wir die Poesie
Und reden wir in Prosa!

Nimm deine Knarre, knall mich ab!
Ich scheiß was auf mein Leben
Wie ich dich hier getroffen hab
– das hat mir den Rest gegeben«

Ich kam in Eifer, wie ihr seht
Er kratzte sich am Kinn
Und starrte auf die Grabinschrift
Und hörte nicht mehr hin

Epitaph

Hier starb ein Mensch, Genossen, und
Ein guter! Er hatte die Ehre
Er wurde erschossen, wir warn so gut

Mit einem guten Gewehre
An einer gut gemauerten Wand
Der Lauf war gut gezogen
Die Kugel war aus gutem Blei
Der Schuß war gut erwogen

Wenn euch die Kinder eines Tags
Nach seinem Schicksal fragen
Genossen, seid nicht zimperlich
Dann sollt ihr denen sagen:

Er war ein guter Kommunist
Und wurde gut erschossen
Von einem guten Genossen

Der Alte stand und las und stand
Da hörte ich wie von ferne
Ein' hohen Kinderwimmerton
Ein Schluchzen! Meine Gedärme

Verdrehten sich. Mein Herz stand still
Denn er schlug mit der Stirne
Die Mauer ein, Ernst Thälmann, Jungs!
Hat keine weiche Birne

»Min Jung ... ich will ... ich muß ... min Jung
Ich will nu auch was beichtn:
Seit zwanzig Jahren kann ich schon
Den Kreml nicht erreichn

Ich hab ja halb gewußt! Geahnt!
Und konnt nicht ... wollt nicht glaubn!
Mensch! mußt du einem totn Mann
Die Lebensfreude raubn?«

Er raufte sich das Haar auf sei-
nem Kahlkopf – solche Szenen
Sie gehn gefährlich aufs Gemüt
Mir kamen gleich die Tränen

Als Thälmann mich so flennen sah
Da hat er sich gefangen
Er wischte mit dem Sacktuch mir
Die Tränen von den Wangen

»Trotzalledem, min Jung, es is
Nie meine Art, zu kneifn
Was wahr ist, ist nun leider wahr
Der Mensch muß das begreifn

Nein! keine Stunde bleib ich noch
Hier untn in mein' Rattnloch
Wenn das so is, wie du das sagst
Dann steig ich in die Stadt hoch

So alt ich bin, so tot ich bin
Dann müssn wir *beide* ebn
Von vorn anfangn und länger nicht
An altm Plunder klebn

Denn unser Menschheitstraum, er bleibt
Trotz all der Niederlagn
Und scheitern wir, dann werdn wir
Es noch und nochmal wagn!

Komm mit, ich kenn da einen Gang
Der führt uns durch den Schiet rauf
In eine Fischeräucherei
(Da hab ich Appetit auf!)«

Kapitel XVI

Wir zogen los und Teddy sprach:
»Jung, diese Räucherei
In Altona am Hafntor
Gehört unsrer Partei!«

Ich folgte ihm, er fand den Weg
Er stemmte ein' Deckel hoch
Wie herrlich in die Nase uns
Der Fisch! der frische Rauch kroch!

Da hing ein ganzer Heringsschwarm
An langen schwarzen Stangen
Ein Bild war das! Das war 'ne Lust!
Du brauchst nur zuzulangen

Vier Weiber standen in der Reih
An einem langen Tische
In flache Kisten packten sie
Die fetten braunen Fische

Sie sahn nicht von der Arbeit auf
Wir standen ihnen im Rücken
Die eine hatte ein Hinterteil
Das war nicht zum Entzücken

– Das war schon mehr: ein übermensch-
. . . ein göttlich schönes Bildnis!
Ich glaub, es gibt kein' Mann, der nicht
Im Grund auf so was wild is

»Hammonia! Hammonia!«
Den legendären Alten
Ich ließ ihn stehn und stürzte los
Mich konnte nichts mehr halten

Die Göttin aber packte stur
Die Kiste voll und sprach dann
Zu Teddy: »Teddy, was bringst du
Uns da fürn nettn Kerl an?«

Das Weib! Ich stand betroffen da
Die hatte glatt vergessen
Wie selig und besoffen wir
Im »Silbersack« gesessen!

Und eh ich mich versah, ging schon
'ne Flasche in die Runde
»Schön, daß ihr da seid! Macht mit uns
'ne kleine Feierstunde!«

Die Weiber suchten Fische raus
Und packten auf den Packtisch
Schwarzbrot, Tomaten, Äpfel und
Senfeier mit Anchovis

»Hammonia«, sprach Teddy da
»Mir is heut nich zum Feiern
Nach Remmidemmi is mir nich
Und nich nach Schnaps und Eiern

Gib mir ein' Bückling und dazu
Ein Appel und ein Rundstück
Das Allerschlimmste is geschehn
Ein ungeheures Unglück!«

Da kicherte Hammonia
»Wann lernst du endlich, daß es
Seit je nur schlimmstes Unglück gibt
Das Grübeln, Teddy, laß es!

Prost! Trinkt euch ein' und seid vergnügt!
Und unser junger Mann hier
Kommt mir bekannt vor, sach ma büss
Du nich der kleine Mannbier?«

Mensch, war ich sauer! »Ja, na klar!
Jetzt geht mir auch ein Licht auf!
Der Lütte aus dem ›Silbersack‹ –
Los! sag uns ein Gedicht auf!

Fang an, ein Lied! Sing uns was vor
Aus schönen altn Zeitn
Von bessre Zukunft, sing uns was
Von Lust und Traurigkeitn!

Und hast du hier kein Wimmerholz
Nimm dir 'ne Sprottnkiste
Schlag uns den Takt dazu, fang an
Und sitz da nicht so triste!

Komm, Teddy, schenk dir auch ein' ein
Und komm an meine Seite!«
Er fügte sich – ich fügte mich
Sang das vermaledeite

Das viel zu schöne Thälmann-Lied
Aus meinen Kindertagen
Das alte Lied voll Hoffnung und
Voll großer Kinderfragen

Das Thälmann-Lied

Ich träumte von Teddy Thälmann
Die Nacht einen schönen Traum
Er war entflohn aus dem Kerker
Die Nazis schrien wild
An allen Anschlagsäulen
Hing Teddys Steckbrief und Bild
    An allen Anschlagsäulen
    Hing Teddys schönes Bild!

Ich träumte von Teddy Thälmann
Die Nacht einen schönen Traum
Er zog nach Kriegesende
Mit Fahnen und Schalmei'n
Durch lange Trümmerstraßen
In das rote Hamburg ein
    Durch lange Trümmerstraßen
    In das rote Hamburg ein!

Ich träumte von Teddy Thälmann
Die Nacht einen schönen Traum
Wir konnten mit Ernst Thälmann
Im ganzen deutschen Land
Den Sozialismus besser baun
Als du ihn je gekannt
    Den Sozialismus besser baun
    Als du ihn je gekannt!

Ich träumte von Teddy Thälmann
Die Nacht einen schönen Traum
Wir konnten in ganz Deutschland
Den großen Worten traun
Die Freiheit ohne Grenzen
Und schön wie nie die Fraun
    Die Freiheit ohne Grenzen
    Und schön wie nie die Fraun!

Das Thälmann-Lied

»Ja, Teddy«, sprach Hammonia
»Da kannst du fix auf stolz sein!
So'n schönes Lied . . . wer das nich mag
Muß dußlich und aus Holz sein

Wolf, mach auf mich mal auch so'n Lied
Mit beat! Denn dieses blöde
›Hammoniaaa! Hammoooniaaaa!‹
Is mir schon selber öde

Dies dumme Lied mit dem Refrain
›Wie herrlich stehst du daaaa!‹
Sag ruhig, daß ich ein Fischweib bin
Und nix mit ›Gloriaaa . . .‹«

Und Teddy rief dazwischen: »Und
Ich hab eine Idee:
Der Gründungsaufruf muß mit rein
Für unsere KaPee!«

»Prost, Teddy, du bist jetzt mal still!
Das Lied soll ja vor alln
Auf mich sein, Teddy, und es soll
Den Hamburgern gefalln

Im Lied kannst du mir auch ins Haar
Ne rote Nelke steckn
Doch nich die Fahne, denn das würd
Die Hamburger erschreckn«

»Das Lied«, schrie Teddy, »wird ein Kitsch
Wenn keine Fahne drin is!
Mensch, merkst du nicht, daß das im Lied
Ja grad der tiefre Sinn is?!«

»In mein Lied kommt, was mir paßt! Du
Hör endlich auf zu schrein!
Ich will meins mit Trompeten und
Ich will keins mit Schalmein

Mach mir ein Lied mit Friedn drin
Und Freiheit, die ich meine
Ich meine die für unsereins
Und nicht bloß diese kleine!

Nicht diese kleine Freiheit nur
Für Geld und Pfeffersäcke
Grad bei der Freiheit sag genau
Was ich damit bezwecke!

Und nicht verrückt modern! Du sollst
Es reimen wie die Altn
Ein Lied, das schöne Reime hat
Kann man auch gut behaltn«

Die Sonderwünsche und der Schnaps
Sie brachten mich ins Schwitzen
Auf einem Fetzen Packpapier
Machte ich mir Notizen

»Hammonia, du kriegst dein Lied
Doch wird dein Lied nur schön
Läßt du mich auch, wie Heine einst
Kurz in die Zukunft sehn!«

»Die Zukunft? Weiß ich selber nich
– der hat nur Spaß gemacht:
Das hat der Heini sich doch bloß
Bei'n Dichtn ausgedacht!

Los, sing noch ein' – und denn is Schluß!
Wir habn Lieferfristn
In Hamburg klettern nicht von selbst
Die Fische in die Kistn«

Das Weib, die Göttin, hat mich hell
Begeistert und verschüchtert
Ich war so selig und berauscht
Ermutigt und ernüchtert

Und nichts! Kein' Fatzen Zukunft hat
Das Weib mir eingebracht!
(Wozu auch! Was da war, war gut
Und hat mir Mut gemacht)

Ich weiß es wieder, und ich hab
Es dort kapiert, gerochen:
Die Zukunft, Freunde, ist ja längst
Und schmerzhaft angebrochen!

Die Flasche ging noch paar mal rund
Ich griff zur Sprottenkiste
Und sang, als ob vom Tod ich und
Vom Leben alles wüßte

Gesang für meine Genossen

Jetzt singe ich für meine Genossen alle
das Lied von der verratenen Revolution
für meine verratenen Genossen singe ich
und ich singe für meine Genossen Verräter
Das große Lied vom Verrat singe ich
und das größere Lied von der Revolution
Und meine Gitarre stöhnt vor Scham
und meine Gitarre jauchzt vor Glück
und meine ungläubigen Lippen beten voller Inbrunst
zu MENSCH, dem Gott all meiner Gläubigkeit

Ich singe für meinen Genossen Dagobert Biermann
der ein Rauch ward aus den Schornsteinen
der von Auschwitz stinkend auferstand
in die viel wechselnden Himmel dieser Erde
und dessen Asche ewig verstreut ist
über alle Meere und unter alle Völker
und der jeglichen Tag neu gemordet wird

und der jeglichen Tag neu aufersteht im Kampf
und der auferstanden ist mit seinen Genossen
in meinem rauchigen Gesang

Und ich singe für Eldridge Cleaver
Genosse im Beton-Dschungel von San Francisco
wie er den Schwarzen schwarz auf weiß macht
daß der Feind nicht schwarz ist oder weiß, sondern
schwarz *und* weiß, das singe ich euch
wenn Eldridge seinen monumentalen Niggerarsch
über Washington auf das Weiße Haus pflanzt
Und wie die BLACK PANTHERS ausbrachen aus der Manege,
aus dem bürgerlichen Zirkus, Panik im Publikum
ich singe die Schweine, wie sie aus den Logen fliehn

Und ein Abgesang auf den Genossen Dubček
der jetzt auf dem türkischen Hund ist
und der lieber hätte gehen sollen
den krummen Weg unter das Hackbeil
oder den geraden Weg unter die Panzer
oder hätte schwimmen sollen in seinem Volk
wie der berühmte Fisch des Genossen Mao
Und darum singe ich den heilsamen Hochmut
des niedergeworfenen gegen alle Reaktion
gegen die Konterrevolution vom 21. August

Ich schreie und schrei die Prosa von Viet-Nam
ich singe die Heuchelei, das exotische Mitleid
den politischen Schwulst von Frieden und Freiheit
Ich singe den schütteren Bart von Onkel Ho,
dem erspart blieb, diesen Krieg zu überleben
den er längst gewonnen hatte, diesen Krieg
der weitertobt in der Zelle von Muhamed Ali
und der täglich verhöhnt wird im Spenden-Rummel
in der behördlich verordneten Solidarität
im Ablaßhandel mit den revolutionären Sünden

Und ich singe noch immer auch meine Liebe
zu meiner nacht – nächtlichen Jungfrau

zu meiner heiligen Genossin
die mich in die Schlacht führt und rettet
in der höheren Gerechtigkeit ihres Lächelns
die mir noch immer auch alle Wunden sanft
aus der Stirn küßte, die ich ihr schlug
Ja, ich singe den Klassenkampf auch der Geschlechter
die Befreiung aus dem patriarchalischen Clinch
aus der Leibeigenschaft unserer Leiber

Und ich singe all meine Verwirrung
und alle Bitternis zwischen den Schlachten
und ich verschweige dir nicht mein Schweigen
– ach, in wortreichen Nächten, wie oft verschwieg ich
meine jüdische Angst, von der ich behaupte
daß ich sie habe – und von der ich fürchte
daß einst sie mich haben wird, diese Angst
Und ich singe laut in den dunklen Menschenwald
und schlag mir den Takt mit meinen Knochen
auf dem singenden Bauch der Gitarre

Ich singe den Frieden mitten im Krieg
Aber ich singe auch Krieg in diesem
dreimal verfluchten mörderischen Frieden
der ein Frieden ist vom Friedhoffrieden
der ein Frieden ist hinter Drahtverhau
der ein Frieden ist unter dem Knüppel
Und darum singe ich den revolutionären Krieg
für meine dreimal verratenen Genossen
und noch auch für meine Genossen Verräter:
In ungebrochener Demut singe ich den *Aufruhr*

›lf Biermann, geboren 1936 in Hamburg. Übersiedelte 1953 in die DDR. ıdium der Politischen Ökonomie und der Philosophie. 2 Jahre Regieassistent m ›Berliner Ensemble‹. Gründete und leitete das ›Berliner Arbeiter- und Stuıtentheater‹ bis 1963, als die Eröffnung eines eigenen Hauses untersagt und ; Ensemble aufgelöst wurde. Lebt in Ostberlin. Seit 1965 keine Möglichkeit Auftritten und Veröffentlichungen in der DDR.

: Drahtharfe. Balladen, Gedichte, Lieder. Westberlin (Wagenbach) 1965
›lf Biermann, Ost, zu Gast bei Wolfgang Neuss, West (Schallplatte). Hamburg Philips) 1965
t Marx- und Engelszungen. Gedichte, Balladen, Lieder. Westberlin (Wagen-›ach) 1968
:r neue Lieder (Schallplatte). Westberlin (Wagenbach) 1968
ausseestraße 131 (Schallplatte). Westberlin (Wagenbach) 1969
r Dra-Dra. Die große Drachentöterschau in acht Akten mit Musik. Westberlin Wagenbach) 1970
: meine Genossen. Hetzlieder, Balladen, Gedichte. Westberlin (Wagenbach) 1972
s Märchen vom kleinen Herrn Moritz. Bilderbuch, Ill. v. Kurt Mühlenhaupt. Aünchen (Parabel) 1972
ersetzung: Julij Daniel, Berichte aus dem sozialistischen Lager. Gedichte. Ham-›urg (Hoffmann und Campe) 1972
ırte nicht auf bessre Zeiten (Schallplatte). Westberlin (Wagenbach) 1973

utschland. Ein Wintermärchen wurde 1965 begonnen, nach einer vom ›Sozialitischen Deutschen Studentenbund‹ veranstalteten Tournee des Autors durch die Bundesrepublik.

Wolf Biermann *Bücher & Platten*

Die Drahtharfe
Balladen, Gedichte, Lieder. Mit neun Notenbeispielen
Quartheft 9. 84 Seiten. DM 5.80

Mit Marx- und Engelszungen
Gedichte, Balladen, Lieder. Mit Noten zu allen Liedern
Quartheft 31. 84 Seiten. DM 5.80

Vier neue Lieder
Schallplatte. Mit zweifarbigem Textplakat
von Arwed D. Gorella
Wagenbachs Quartplatte 3. Ø 17 cm. 33 UpM. DM 7.50

Chausseestraße 131
Schallplatte. Zehn Gedichte und Lieder
Wagenbachs Quartplatte 4. Ø 30 cm. 33 UpM. DM 22.–

Der Dra-Dra
Die große Drachentöterschau in acht Akten mit Musik.
Mit Noten und Illustrationen.
Quartheft 45/46. 144 Seiten. DM 9.80

Für meine Genossen
Hetzlieder, Balladen, Gedichte
Quartheft 62. 96 Seiten. DM 5.80

Warte nicht auf bessre Zeiten
Schallplatte. Sieben Lieder
Wagenbachs Quartplatte 10. Ø 30 cm. 33 UpM. DM 22.–

uarthefte Jeder Band DM 5.80

rt Wolff Autoren, Bücher, Abenteuer. *Erinnerungen*
ristoph Meckel Tullipan. *Erzählung*
hannes Bobrowski Mäusefest. *Erzählungen*
nter Grass Onkel, Onkel. *Ein Spiel*
C. Delius Kerbholz. *Gedichte*
ephan Hermlin Gedichte und Prosa. *Eine Auswahl*
kov Lind Eine bessere Welt. *Roman* (Doppelband: DM 9.80)
ristoph Meckel Die Noticen des Feuerwerkers Christopher Magalan. *Satire*
C. Delius Wir Unternehmer. *Eine Dokumentarpolemik*
ich Fried und Vietnam und. *Gedichte*
me Cesaire Im Kongo. *Stück über Patrice Lumumba*
ephan Hermlin Zeit der Gemeinsamkeit / In einer dunklen Welt. *Erzählungen*
ak Karsunke Kilroy & andere. *Gedichte*
ristoph Meckel Bei Lebzeiten zu singen. *Gedichte*
hannes Bobrowski Wetterzeichen. *Gedichte*
orgio Manganelli Niederauffahrt. *Prosa* (Doppelband: DM 9.80)
ich Fried Anfechtungen. *Gedichte*
ris Vian Die Ameisen. *Sieben Erzählungen*
alter Höllerer / Renate von Mangoldt Außerhalb der Saison. *Gedicht/Fotos*
nter Bruno Fuchs Zwischen Kopf und Kragen. *32 wahre Geschichten*
kov Lind Angst und Hunger. *Zwei Hörspiele*
ntenfisch 1 Jahrbuch für Literatur 1968
arina Zwetajewa Gedichte
hannes Bobrowski Der Mahner. *Erzählungen und andere Prosa*
lker von Törne Wolfspelz. *Gedichte, Lieder, Montagen*
nnis Ritsos Gedichte
hannes Schenk Zwiebeln und Präsidenten. *Gedichte*
ntenfisch 2 Jahrbuch für Literatur 1969
ich Fried Die Beine der größeren Lügen. *Gedichte*
ristoph Meckel Eine Seite aus dem Paradiesbuch. *Hörspiel*
C. Delius Wenn wir, bei Rot. *Gedichte*
ak Karsunke reden & ausreden. *Gedichte*
ntenfisch 3 Jahrbuch für Literatur 1970
orgio Manganelli Omegabet. *Prosa* (Doppelband: DM 9.80)
ephan Hermlin Scardanelli. *Hörspiel*
me Cesaire Ein Sturm. *Stück*
ich Fried Unter Nebenfeinden. *Gedichte*
ter Schneider Ansprachen. *Reden, Notizen, Gedichte*
eter Forte Martin Luther & Thomas Münzer. *Schauspiel*
ntenfisch 4 Jahrbuch für Literatur 1971
urt Bartsch Die Lachmaschine. *Gedichte, Songs und ein Prosafragment*
artmut Lange Die Ermordung des Aias. *Stück*
nno Meyer-Wehlack Modderkrebse. *Stück über einen Bau*
oh de Cologne Profitgeier und andere Vögel. *Lieder und Agitationstexte*
ter Rühmkorf Lombard gibt den Letzten. *Stück*
ntenfisch 5 Jahrbuch für Literatur 1972
aus Stiller Tagebuch eines Weihbischofs. *Prosa*
olfgang Deichsel Frankenstein. Aus dem Leben der Angestellten. *Szenen*
ich Fried Die Freiheit den Mund aufzumachen. *Gedichte*
C. Delius Unsere Siemens-Welt. *Festschrift*
elplatz 1 Jahrbuch für Theater 71/72. (Doppelband: DM 9.80)
ras Ören Was will Niyazi in der Naunynstraße. *Poem*
ter Schneider Lenz. *Erzählung*
ntenfisch 6 Jahrbuch für Literatur 1973